辞書・事典のすべてがわかる本

③ 知れば知るほどおもしろい辞書・事典

著/倉島 節尚

あすなろ書房

はじめに

　古代エジプト文明で、「ヒエログリフ」とよばれる文字がつかわれていたことはよく知られています。現在でも、ピラミッドや宮殿に行けば、上の写真のようにいたるところにヒエログリフを見ることができます。

　なんと書いてあるの？　どう読むの？　たいていの人は、そう思うでしょう。なかには、「ヒエログリフの辞書があればいいなぁ」と思う人もいるはずです。

　1799年、エジプトのロゼッタという場所で、石碑（ロゼッタストーン）が発見されました。それにはヒエログリフとほか2種類の文字が書かれていました。しかし当時は、なにが書かれているのかまったくわかりませんでした。古代エジプトの王家の財宝のありかが記されているのかもしれないなどといった思いが、多くの人をその解読に駆りたてました。それから20年以上が経って、フランス人のシャンポリオンがロゼッタストーンの解読に成功しました。

　その後、さまざまな研究が積みかさねられました。今では、右の表のようにヒエログリフの辞書もつくられています。

ヒエログリフ	読み方	意味
⌒	イアト	丘
凵	レドゥウ	階段
△	メル	ピラミッド

　現在日本には、右下のようにヒエログリフを日本語の五十音にあてはめた表もあります。

　辞書は、人類にとって偉大な発明です。辞書があれば、わからない文字の意味や読み方がわかるのです。人類史上はじめて辞書を発明したのは、「シュメール人」だといわれています。しかし、シュメール人は、あまりにも多くの謎につつまれているため、辞書の発明についても、はっきりしていません（⇒1巻P17）。

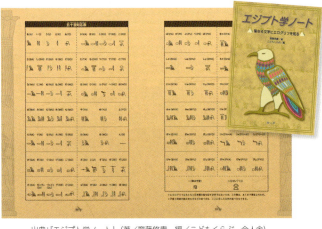

出典:『エジプト学ノート』（著/齋藤悠貴、編/こどもくらぶ、今人舎）

このシリーズ「辞書・事典のすべてがわかる本」の「辞書」とは、多数の語を集録し、一定の順序に配列して、語の意味や用法などをしめした本です。辞書は、辞典や字典ともいうことがありますが、これらは明確にわけられているとはいえません。さらに、字書や字引といった言葉もあります。また、それらに似た事典（ことてん）とよばれるものもあります。これは、いろいろなものごとや、ことがらを集めて説明した本です。

　中国人は漢字を発明しました。また、日本人は、漢字を変化させ、かなを発明しました。
　では、漢字がわからないときにつかう「漢和辞典」は、中国人、日本人のどちらが発明したのでしょうか。残念ながら、それはわかりません。しかし、わからない漢字で、なんと書いてあるのか？　どう読むのか？　中国から漢字が日本に伝わってきたばかりのころには、そのように思った日本人がいて、「漢和辞典」をもとめたことはかんたんに想像できます。
　「漢和辞典」には、漢字の読み方と意味が、日本語で書かれています。それは、ヒエログリフの△を、「メル」と読み、「ピラミッドとよばれる、四角錐の形をした構造物である」ことが、書かれているのと同じです。

　ところで、漢和辞典の「漢」という漢字には、「漢字」のほか、「漢語（中国語）」という意味があります。ということは、漢和辞典とは、漢語（中国語）から和語（日本語）にする辞典ということなのです。このように「英和辞典」は英語から日本語へ、「仏和辞典」はフランス語から日本語にする辞典を意味します。逆に「和英辞典」は、日本語から英語にする辞典です。
　一方、「英英辞典」という辞典があります。これは、英語を英語で解説しているものです。日本では、「日日辞典」とはいわず、「国語辞典」とよばれる辞書と同じ性質のものです。これは辞書といって、すぐにイメージできる一般的な辞書です。

『三省堂例解小学漢字辞典 第五版』（三省堂）　『三省堂例解小学国語辞典 第六版』（三省堂）

　国語辞典は小学校低学年からつかわれていますが、今述べたように、辞書が人類にとっての重要な発明品であることなど、辞書そのものの重要性について学習することなく、言葉の意味を調べるための道具としてあつかわれていることが多いでしょう。
　このシリーズは、だれもが、学びを続けていけばいくほど、辞書や事典をつかうようになることから、教科書では教えない、辞書そのものについて、さまざまな角度から解説を試みるものです。

こどもくらぶ　稲葉　茂勝

この本で、辞書について知ることで、辞書を大切に考え、重視し、もっと有効につかうようになってほしいな！

もくじ

わたしは、案内役だよ。

はじめに ………………………………………………… 2
この本のつかい方 ……………………………………… 5

1 さまざまな辞書の名前 …………………………… 6
2 辞書のふたつの大きな変化 ……………………… 8
3 現代の辞書の種類 ………………………………… 10
4 現代の国語辞典と漢和辞典 ……………………… 12
5 辞書をつくる ……………………………………… 16
6 辞書によってこんなに違う説明 ………………… 20
7 辞書を読むおもしろさ …………………………… 22
8 言葉の変化と辞書 ………………………………… 23
気がついたら50歳をこえていた！〜わたしの辞書づくり人生〜 … 26

用語解説 ………………………………………………… 30
さくいん ………………………………………………… 32

辞書をつくっている出版社の仕事を紹介するよ。

この本のつかい方

この本では、いろいろな辞書・事典の特ちょうや、
辞書ができるまでを、項目ごとにさまざまな視点から解説しています。

写真や図 それぞれのテーマと関連のある写真や図を掲載しています。

まめちしき 本文をよりよく理解するための情報を紹介しています。

用語解説 青字の言葉は用語解説（30〜31ページ）で解説しています。

コラム よりくわしい内容や、関連するテーマを紹介しています。

ときどき出てきて、しゃべるからよろしくね。

1 さまざまな辞書の名前

「辞書」には、言葉をあつかう「辞典」と文字をあつかう「字典」があります。「事典」は、事柄をあつかう辞書です。

「辞典」「字典」「事典」の違い

「辞典」とは、言葉を見出し語（項目として出し、太字などで見やすくして決まった順序にならべた語）として、言葉の意味や発音、つかい方などを説明した本です。

「字典」は、漢字を見出しとして、漢字の意味や読み、つかい方などの説明がしてあります。

現代では、「漢和辞典」「漢字辞典」「漢語辞典」などと名づけられています（⇒4巻P23）。

辞書をつくる出版社の会議室や編集部には、たくさんの辞書がある。（三省堂）

国語辞典には、『大辞林』『広辞苑』などのように、独自の名前がつけられているものもあるよ。辞書の「辞」の字がつかわれているね。

「事典」は、物や人名・地名や事柄を見出し語として、その内容を説明します。いろいろな分野の事柄を取りあげるので、「百科事典」と名づけられているものも多くあります。「百科」とは、「いろいろな分野」という意味です。

「辞典」「字典」「事典」は、どれも「ジテン」と発音されるので、話し言葉のなかでは、「辞典」を「ことば典」、「字典」を「もじ典」、「事典」を「こと典」といって、区別することがあります。

図書館の事典コーナーには、「百科事典」のほかにも『考古学事典』『国際紛争・内戦史事典』などがあり、いろいろな分野について調べるときに役立つ事典を見ることができる。
(山梨県北杜市金田一春彦記念図書館)

あらゆる分野から9万項目を採録した『世界大百科事典』全34巻（平凡社）。項目ごとに関連したカラーページを取りいれ、図版や写真も充実した内容となっている。(写真提供：平凡社)

まめちしき

「字謎」とは？

「字典」は、「字の謎を教えてくれる本」ということができる。でも「字謎」と書くと、「なぞなぞ」の意味になる。『大辞泉』には「漢字を偏・旁・冠・脚などに分けたりして示し、その漢字を当てさせるもの」と書かれている。

この漢字の部首を合わせたり、分解したりするあそびは、古くからあった。たとえば、『万葉集』には、「山上復有山（山の上にもうひとつ山がある）」と書いてある。その答えは、「出」。このあそびは、もともとは中国の「字謎」からきたものである。

2 辞書のふたつの大きな変化

2巻では、日本の辞書の登場から辞書の歴史を見てきました。この巻では、辞書の歴史のなかで起こった大きな変化をふたつ見てみます。

ならび順の変化

いろは順は平安時代に流行した今様というはやり歌のひとつ「いろは歌」（⇒2巻P13）の歌詞の順序によるならべ方です。「いろは歌」は47字の仮名を全部1回ずつつかってつくられています。この歌が多くの人に知られていたので、ならび順につかわれたのです。平安時代から明治初年までの辞書は「いろは順」が普通でしたが、明治になって大槻文彦が書いた『言海』という最初の近代的な国語辞典が五十音順（あいうえお順）を採用しました。その理由を大槻は、「いろは順だと最初から唱えないともとめる音がどこにあるかわかりにくいが、五十音順は規則正しくならんでいるので、言葉を探しやすい」と述べています。『言海』のあとにつくられた国語辞典は、どれも五十音順を採用しています。

1988年に刊行された『大辞林』初版の見出し語としてのせる言葉のリスト。当時はコンピューターを使用しておらず、手作業で辞書がつくられていた。

本書の著者、倉島節尚が『大辞林』の編集をおこなっていた1983年ころの三省堂の辞書編集部。(写真提供：三省堂)

現在の三省堂の辞書編集部（2015年12月）。

たて書き・横書き

　日本語は、漢字と仮名で書きあらわすことはいうまでもありませんが、仮名には、ひらがなとカタカナの2種類があり、それら3種類の文字に加えて、ローマ字もつかわれ、合計4種類の文字が、日常的につかわれています。世界じゅうを見渡しても、4種類の文字を国民のほとんどが読み書きできる国は、ほかにはありません。

　それだけに、辞書も非常に複雑なものになっているといえます。さらに、英語やフランス語など多くの言語は、横書きしかできません。ところが、日本語は、たて書きも横書きもできるのです。

　江戸時代までは、書物や書類などはすべてたて書きでした。近代になっても1940年代までは、たて書きが基本でした。ところが、その後、しだいに横書きが普及して、現代では、両方が用いられています。教科書も、国語がたて書き、その他は横書きと、両方あります。

　百科事典は、比較的はやくから、横書きのものがつくられましたが、国語辞典で横書きのものがつくられたのは、30年くらい前からのことです。しかし、現在では、横書きのものは少なく、たて書きが主流となっています。

『言海』が増補改訂され、1932～1937年に刊行された国語辞典『大言海』(全4巻)。見出し語はたて書きで、五十音順に配列されている。

まめちしき
映画「舟を編む」

　この映画は、2012年に全国の書店員が選ぶ「本屋大賞」に輝いた三浦しをんの小説『舟を編む』を映画化した作品。出版社の辞書編集部を舞台に、新しい国語辞典の刊行をめざして、辞書づくりに挑む人びとがえがかれている。主人公の馬締光也を中心とする辞書編集部のメンバーが、企画が通った1995年から15年の歳月をかけて、ついに見出し語24万語の『大渡海』を完成させる。

　長い時間をかけて言葉を編む辞書づくりのうら側を知ることができる。

「舟を編む」(DVD&ブルーレイ)　発売元：アスミック・エース／販売元：松竹　©2013「舟を編む」製作委員会

3 現代の辞書の種類

現在「辞書」とよばれるものには、じつにさまざまな種類があります。だれがつかうのか、いつ、どこでつかうのか、どういう目的かなどによって、辞書の性格も大きく変わります。

だれがつかうかによって

だれがつかうのか？ つかう人が小学生、中学生、高校生や一般社会人かによって、見出し語の数や、説明の内容などが大きく変わります。それによって、辞書の厚さ・ページ数も大きく変わってきます（⇒P16）。

『三省堂例解小学国語辞典　第六版』（三省堂）
B6判1280ページ　3万5500語

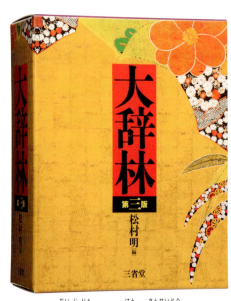

『大辞林　第三版』（三省堂）
B5変型判2976ページ　23万8000語

どこでつかうかによって

小学生から大学生などの学生の場合、学校にもっていってつかう、図書館などでつかう、家庭で学習するときにつかうなど場所によってもつかう辞書は異なります。大人でも会社で仕事をするときにつかう、家に備えておくなどで、辞書の規模や内容が変わります。

調べる内容によって

読者がどういうことを知りたいかによって見出し語に選ぶ言葉や説明する内容の詳しさなどが変わります。

国語辞典には、およそつぎのような事柄が書かれています。

①書きあらわし方（表記）：漢字のつかい方、仮名づかい、送りがなのつけ方
②発音：アクセント
③文法：品詞、活用の種類、動詞の自動詞・他動詞の区別
④語源・語誌：その語の歴史的な変化
⑤意味：どの分野の言葉か（専門語・方言・俗語・古語など）、意味の説明とつかい方
⑥用例：現代語の用例、古典語の用例、出典
⑦関連語：類義語、反対語

辞書によって、これらの一部を省いているものもあります。また、このほかの説明を加える辞書などいろいろあります。

国語辞典以外には、百科事典、表記辞典、語源辞典、四字熟語辞典、古語辞典、死語辞典、アクセント辞典、外来語辞典、新語辞典など多種多様です（⇒4巻P20～22）。

第二次世界大戦ののち

20世紀前半は、戦争の影響であまり新しい辞書はつくられませんでした。1945年に第二次世界大戦が終わって復興期に入ってから、辞書編纂が活発になりました。すぐれた中型国語辞典が生まれ、専門性の高い古語辞典、過去最大規模の漢和辞典・国語辞典などが世に送りだされました。また、もちはこびに便利な携帯版国語辞典や、国語学習を意識し発達段階に応じた国語辞典がつぎつぎと刊行されたのも、第二次世界大戦後のことです。

電子辞書の歴史

電子辞書が実用化されたのは、辞書の歴史のなかで特筆すべきことです。

はじめての国産の電子辞書は1979年にシャープが発売した電訳機IQ-3000だといわれています。

その後開発が進み、1990年代以降にさまざまな種類の電子辞書が市販されるようになりました。現在の電子辞書はいずれも電子機器の会社が、出版社のもつ辞書データを利用してつくったものです。辞書出版社のもつ印刷することが目的の辞書のデータを電子機器の会社が一定の条件のもとに加工し、検索ソフトなどを加えて電子辞書をつくっています。

また、この加工したデータをパソコンの端末からオンラインで検索できるようにしてある辞書もあります。

電子辞書は、今後の辞書のあり方を大きく変える可能性を思わせます。

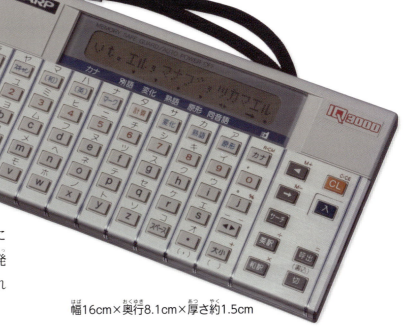

1979年にシャープから発売された国産第一号機（電訳機IQ-3000）。収録語数は英和が2800語、和英が5000語。日本語訳はカタカナで表示された。

幅16cm×奥行8.1cm×厚さ約1.5cm

4 現代の国語辞典と漢和辞典

2巻では、明治時代までの辞典を取りあげていますが、この巻では、昭和時代以降の国語辞典と漢和辞典を、初版を中心に紹介します。必要に応じて改訂版にもふれます。

『大辞典』

平凡社編『大辭典 第一巻』(平凡社)(国立国会図書館所蔵)

1934～1936年に平凡社から刊行された国語辞典と百科事典をかねた内容の辞典。見出し語には現代語・古語のほか、植物名や固有名詞・ことわざ・和歌・詩、古文書の用語など、広い範囲の言葉70万語をのせてある。現在でもこれを超える項目数を収めた国語辞典はつくられていない。約5万語に傍線でアクセント（⇒4巻P18）がしめされている。写真植字という方法で製版・印刷された最初の国語辞典である。

『明解国語辞典』

1943年に三省堂から刊行された携帯版の国語辞典。金田一京助（1882～1971年）を中心に見坊豪紀（1914～1992年）が実務を担当し、山田忠雄（1916～1996年）と金田一春彦（1913～2004年）が協力して制作した。解説を口語文（話し言葉の文章）で書き、現代語を多く取りあげ、言葉の意味をわかりやすく説明することを目指している。見出し語は、表音仮名づかい（⇒まめちしき）を用い、金田一春彦がアクセントをしめした。現代語中心の本格的小型国語辞典として評価され、中等学校の指定辞書として全国で広く用いられた。その後に出版された多数の小型・携帯版国語辞典の、基本的な形を確立した辞書といわれている。

金田一京助編『明解國語辭典 復刻版』(三省堂)

まめちしき

表音仮名づかいと現代仮名づかい

「仮名づかい」とは、仮名文字を用いて日本語を書きあらわすときの決まりのこと。仮名づかいにはいくつかの種類があり、古典文学などでは「歴史的仮名づかい」がつかわれている。「表音仮名づかい」は実際の発音に基づく書きあらわし方である。現代の日本語は「現代仮名遣い」という決まり（1946年告示、1986年改定、2010年一部改正）にしたがっている。右は現代仮名づかい・表音仮名づかい・歴史的仮名づかいをくらべた表である。

	現代仮名づかい	表音仮名づかい	歴史的仮名づかい
学校	がっこう	がっこお	がくかう
蝶々	ちょうちょう	ちょおちょお	てふてふ
映画	えいが	ええが	えいぐわ
鰈	かれい	かれえ	かれひ
姪	めい	めえ	めひ

現代仮名づかいは表音仮名づかいの表記に近づけようとしているが、「ちぢむ」「つづく」などでは「ぢ」「づ」を用い、助詞に「は」「へ」「を」を用いるなど、発音と異なる部分がある。

『時代別国語大辞典』

日本における全時代の日本語全体を見渡せる辞書として1941年に企画され、上代から平安・鎌倉・室町・江戸時代までの5つの時代にわけてそれぞれに編修委員会がおかれ、1942年から作業がはじまった。しかし、第二次世界大戦で作業が中断し、作業再開後もさまざまな問題が生じ、ようやく最初にまとまったのが上代編だった。ついで、室町時代編（全5巻）が完成したが、そのほかの平安・鎌倉・江戸の3つの時代の編修は実現していない。

『時代別国語大辞典　上代編』
6世紀から8世紀にかけての語（上代語）の専門的な古語辞典。上代語辞典編修委員会（代表澤瀉久孝、1890～1968年）によってつくられ、1967年に三省堂から刊行された。上代語を網羅し、それまでの上代語研究の成果を反映した内容となっている。

『時代別国語大辞典　室町時代編』（全5巻）
14世紀後半から16世紀にかけての語（室町時代語）の専門的な古語辞典。室町時代語辞典編修委員会（代表土井忠生、1900～1995年）によってつくられ、1985～2001年に三省堂から刊行。日本国内の文献とポルトガル人宣教師によってつくられたキリシタン資料が重視されている。現代までの室町時代語研究の結果を反映した高度な内容の大辞典。

『時代別国語大辞典　上代編』『時代別国語大辞典　室町時代編』全5巻（三省堂）

『大漢和辞典』

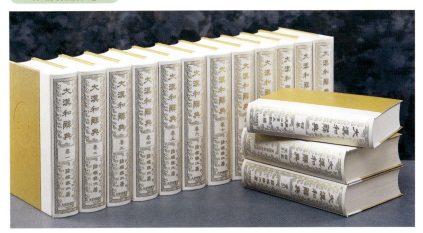

諸橋轍次著『大漢和辞典　修訂第二版』全15巻（大修館書店）

諸橋轍次（1883～1982年）がつくった掲出漢字数が最大の漢和辞典。1956～1960年に大修館書店から刊行された。18世紀につくられた中国の『康熙字典』（⇒1巻P23）を中心に、現代までの字典類や専門書・文学書・仏典などからおよそ5万字が集められている。熟語も多く、故事成語や人名・地名・書名・官職名等が見出しの漢字（親字）のあとに五十音順にならべられている。用例には返り点（⇒まめちしき）がつけられて、出典が詳しく記されている。各種のさくいんが添えられているので、もとめる漢字を探しだすのに便利である。

まめちしき

返り点

漢文は本来中国語で書かれた文章のこと。これを日本語として読む（訓読）ために工夫されたのが、返り点をつける方法である。返り点には、「レ点」「一、二、三点」「上、中、下点」「甲、乙、丙点」「天、地、人点」がある。これは漢文を訓読する順序をしめす記号で、漢字の左下に小さく書きこまれる。

百聞不ㇾ如ヵ一見｡
（読み）百聞は一見に如かず。

漢文の読み方をしめす送りがなは、カタカナで書きあらわすよ。詳しくは、2巻11ページを見てね。

『岩波古語辞典』

大野晋、佐竹昭広、前田金五郎編『岩波古語辞典　補訂版』(岩波書店)

大野晋（1919〜2008年）・佐竹昭広（1927〜2008年）・前田金五郎（1920〜2013年）によってつくられた古語辞典。初版が1974年、補訂版が1990年に岩波書店から刊行された。上代から近世までの約4万語をのせてある。動詞は連用形を見出し語に立てて、名詞と一緒に記述している。その理由として大野は、「古典で用いられているのは、連用形が最も多く60％に達すること、連用形はそのまま名詞形でもあること、連用形は古語でも現代語でも同形であることから検索しやすいこと」などをあげている。語源の説明にも力を入れたという。高校や大学で古典を学ぶときにつかわれることを考えてつくられた古語辞典は、このほか、その定型をつくった金田一京助監修『明解古語辞典』（⇒P26）をはじめとして、30種類以上も刊行されている。

『日本国語大辞典』

日本国語大辞典編集委員会によってつくられた大型の国語辞典。1972〜1976年に小学館から刊行された。古語から現代語・百科語・固有名詞・ことわざ・成語など約45万語をのせている。それぞれの項目には、表記・品詞・語釈・用例・語源説・アクセントなどに加えて、方言・古辞書の掲載例・補注などが書かれている。用例はほかのどの辞書よりも豊富で、各時代の実際の使用例を数多く知ることができる。また、できるかぎり最初の例（初出例）をあげている。第二版（2000〜2002年刊）では、見出し語が50万語に増補され、用例は100万例を掲載。現在の日本では第一の大型国語辞典となっている。

『日本国語大辞典　第二版』
全14巻（13巻＋別巻）(小学館)

まめちしき

金田一春彦記念図書館

　山梨県の北杜市にある金田一春彦記念図書館には、館内に「金田一春彦ことばの資料館」がある。ここには、この地を故郷のように愛した国語学者の金田一春彦が寄贈した本や資料、直筆の原稿などが収められている。方言コーナーでは、日本各地の方言をコンピューターによって再現。楽しみながら学ぶことができるようになっている。また、このシリーズを編集したこどもくらぶの「こどもくらぶ文庫」もある。

「金田一春彦ことばの資料館」では、日本語や方言に関する本を多く所蔵している。
(山梨県北杜市金田一春彦記念図書館)

『学研国語大辞典』

金田一春彦、池田弥三郎編『学研国語大辞典　第二版』（学習研究社）

金田一春彦と池田弥三郎（1914～1982年）がつくった現代語中心の国語辞典。1978年に学習研究社から刊行された。現代生活に必要な約10万2000語をのせている。用例は作例ではなく、近現代の作家約250人の作品350篇のほか評論・随筆・戯曲・詩歌その他から、さらには新聞記事からも実際の使用例を集めてあげている。見出し語が複合語の下の部分になる語を集めてあげているのは新しい試み。また、見出し語の類義語もまとめてあげている。編集にあたって、コンピューターを利用した最初の国語辞典といわれている。

『大辞林』

松村明編『大辞林』初版『大辞林　第二版』『大辞林　第三版』

松村明（1916～2001年）が中心になってつくった国語辞典。1988年に三省堂から刊行された。現代語を重視しつつ、古語・固有名詞・百科語・専門語・ことわざ・成語など22万語（第三版2006年刊で23万8000語に増補）をのせてある。それまでの国語辞典は、語の昔の意味から説明をはじめて順番に時代を下って説明するのが普通。その方法だと現代の意味は説明の最後のほうに書かれることになって、現代での意味やつかい方を確認するのには不便なので、『大辞林』は、現代の意味を説明してから古い意味へ、特殊な意味へと説明する方法をとった。用例は古典から明治時代の作品まで出典つきであげ、現代語には作例をあげている。現代語にはすべての語にアクセントがしめされた。

『大辞泉』

松村明監修『大辞泉　第二版』上下巻（小学館）

1995年に小学館から刊行された松村明が監修した国語辞典。現代語を中心に、古語・専門語・固有名詞など22万語をのせている。現代の意味・用法を先に書き、古典の意味などはそのあとに説明してある。基本的な語には、類語・下接句・上接句・用法などの欄を設けて説明してある。多数のカラー写真をのせ、イラストもカラー印刷になっている。第二版（2012年刊）で25万語に増補。横組みのレイアウトを採用した。また、付属のDVD-ROMには、パソコンで言葉を調べたり、写真などを見たりすることができるソフトが収録されており、IT時代に対応した国語辞典となっている。

5 辞書をつくる

10ページで見てきたように、辞書は、だれがつかうのか、いつ、どこでつかうのか、どういう目的かなどによって、内容が大きく変わります。これらは、辞書をつくるうえで、最初に考えることです。

辞書づくりの基本方針

だれがつかうのか、いつ、どこでつかうのか、どういう目的でつかうのかはいずれも、つくろうとする辞書の見出し語の範囲や分量、サイズ（判型）、説明の仕方やレベルなどに関係します。さらに、これらは編集に要する期間や、できあがったときの価格にも関係してきます。これらを考えてそれぞれの辞書づくりの基本方針が決められます。

辞書をつくる編集部は辞書だらけ。(三省堂)

●小学生向け

『旺文社小学国語新辞典 第四版』(旺文社)	B6判	1312ページ	3万1000語
『チャレンジ小学国語辞典 第六版』(ベネッセコーポレーション)	A5判	1440ページ	3万5100語
『三省堂例解小学国語辞典 第六版』(三省堂)	B6判	1280ページ	3万5500語

●中学生向け

『例解新国語辞典 第九版』(三省堂)	B6変型判	1360ページ	約5万9000語
『角川最新国語辞典』(角川学芸出版)	小B6判	1200ページ	約6万語

●中学生以上向け

『三省堂国語辞典 第七版』(三省堂)	B6変型判	1760ページ	約8万2000語

●高校・一般向け

『岩波国語辞典 第七版新版』(岩波書店)	B6新判	1728ページ	約6万5000語
『明鏡国語辞典 第二版』(大修館書店)	B6変型判	1954ページ	約7万語
『角川国語辞典 新版』(角川学芸出版)	小B6判	1248ページ	7万5000語
『新明解国語辞典 第七版』(三省堂)	B6判	1728ページ	約7万7500語
『旺文社国語辞典 第十一版』(旺文社)	B6判	1696ページ	約8万3500語
『新選国語辞典 第九版』(小学館)	B6変型判	1602ページ	9万320語
『大辞林 第三版』(三省堂)	B5変型判	2976ページ	23万8000語
『広辞苑 第六版』(岩波書店)	菊判	3074ページ	24万語
『大辞泉 第二版』上下巻(小学館)	B5変型判	3968ページ	25万語
『日本国語大辞典 第二版』全13巻+別巻(小学館)	B5変型判	平均1467ページ	50万語

辞書が逆さに置かれているのが見える。これは、この机をつかっている編集者の、すぐに取りだしてページを開けるようにするための工夫だという。

具体的な流れ

　どんな辞書をつくるかの基本方針が決まったら、それにそってどういう辞書にするかを具体的に決めていきます。つぎはその流れです。

①見出し語の数や範囲、判型などを決める。
②基本方針にしたがって具体的な編集の仕方を決める。
③見出し語の選び方や、どのような説明をどのように書くかを決める。
④見出し語を選ぶ。
⑤何項目かの見本原稿を書いて、目的通りの辞書になるように検討をくりかえす。
⑥見本原稿を参考にして原稿を執筆する。見出し語の数によって、執筆協力者の人数を考えて、執筆を依頼する。
⑦執筆された原稿が目的とする辞書のために適切に書かれているか校閲する。「校閲」とは、原稿の内容の誤りを正し、不足な点を補ったりすること。校閲は、編者や編集委員が中心になり、編集者も協力しておこなわれる。

子ども向けの「絵じてん」では、イラストがたくさん入るため、編集者は原稿を確認しながら、どこにイラストを入れるか紙面レイアウトを考える。（三省堂）

校閲作業をおこなう編集者。誤りは赤ペンで訂正する。
（三省堂）

⑧原稿を整理し、組版にまわす準備をする。「組版」とは、印刷工場で原稿にしたがって活字をならべる作業のこと。そのために編集部では漢字や仮名づかいや記号の指定をする。以前は金属の活字をつかっていたが、現在はコンピューターでおこなう。
⑨原稿の指定の通りに組版がおこなわれているかを確かめるために、校正刷り（ゲラ）を読み、誤りがあれば、校正刷りに赤字で訂正を書きこんで印刷所にもどす。この作業を4回～6回くらいおこなう。校正が何度かおこなわれて誤りがなくなると、校正が終了する（校了）。ここまでが編集部の仕事となる。
⑩印刷・製本。校了になると印刷部門にまわされて、印刷機にかける準備が進められる。印刷のための版（刷版）がつくられて、印刷がはじまる。印刷されたものは製本部門にわたされて、綴じられ、表紙がつけられて辞書の形になる。

読者の信頼にこたえるために

　辞書は言葉について確かめたり、疑問を解決したりするためにつかわれます。ほとんどの人は、辞書に書いてあることは正しいはずだと考えています。その信頼にこたえるために、説明は正確でなくてはなりません。このため辞書の説明は、何人もの人によって確かめられています。また、誤った文字（誤植）があってはいけないので何回も校正をくりかえして確認します。

見出し語にのせる言葉

見出し語の数は、小学生用で2万～3万語くらい、中学生用で5万～7万語くらい、高校生から一般用の携帯版では7万～8万語くらいが目安だとされています。これは、年齢が上がるにしたがって、使用する言葉の範囲が広がることによります。さらに大きい辞書では、10万語から50万語もの項目をのせているものもあります（⇒P16）。

小学生・中学生用では国語学習のためにつかわれるので、教科書に出てくる言葉を中心に、新聞・雑誌やテレビで読んだり聞いたりする言葉を選びます。高校生から上になると、難しい言葉や専門的な言葉も選ばれます。

『大辞林 第二版』からのせた「アーカイブ」

見出し語として選ぶ言葉について、編集委員や編集部で意見がわかれることがあります。『大辞林』初版（1988年刊）を編集しているときの例です。「アーカイブ」という語をのせるかのせないかで議論になったのです。「アーカイブ」とは大規模な資料や記録を集めて保管すること、またその場所などをいう言葉で、公文書の保管施設や記録保存館をいう専門語でした。

ところが、この語がコンピューターの分野で、デジタル化されたデータを圧縮する技術や方法、それによる保存などをいう語としてつかわれるようになりました。初版の編集がおこなわれていたころは、まだ現在のようにコンピューターが普及しておらず、「アーカイブ」という語はコンピューターをつかうことの多い人のあいだでしかつかわれていませんでした。公文書館などをさす意味で知っている人はいましたが、年配の編集委員や編集者からは、専門語であるし、コンピューター関係でつかわれているとしてもまだそれほど一般的ではないから、のせるのははやいという意見が出されました。

一方、日ごろコンピューターに接している若い編集部員はのせたほうがいいといい、意見がわかれたのです。結局この語は初版では採用されませんでした。

しかし、その後コンピューターもパソコンも急激に普及して身近な存在となり、それにともなって「アーカイブ」という語がつかわれるようになったので、『大辞林 第二版』（1995年刊）では見出し語として採用されました。

「ちゃりんこ」は初版から採用

もうひとつ「ちゃりんこ」という語についても議論がありました。「ちゃりんこ」のもとの意味は、子どものスリをいう盗賊仲間の隠語でした。これが自転車をいう俗語としてつかわれはじめたのです。おそらく自転車のベルの音からの連想によるよび名ではないかと思います。これは元来隠語だし、自転車をいうようになったのも俗語で、まだ一般的ではないのではないかという意見があったのですが、子どものいる編集部員などから、ごく普通につかわれている語だという意見が強く出されたので、初版から採用されました。その後、「ちゃり」という短縮形や「ママちゃり」という複合形まで生まれています。

見出し語として採用するかどうかを決めるときには、年齢や生活環境などによって意見がわかれることがあり、議論を交わします。

三省堂で、『大辞林』編集作業中の本書の著者、倉島節尚（1985年ころ）。（写真提供：三省堂）

かんたんな言葉の説明

国語辞典には難しい言葉ばかりではなく、日常つかうかんたんな言葉ものっています。かんたんな言葉、やさしい言葉をわかりやすく説明するのは、意外に面倒なのです。

たとえば、「右」「左」という言葉をどう説明すればいいでしょうか。これには、「東」「西」「南」「北」と人間の体を組みあわせて説明する辞書が多くあります。「右」の場合は「北を向いて東の方」で、「左」は「北を向いて西の方」となります。東・西・南・北を知っている人ならば、だれでもこの通りになります。この方法は外国の辞書でも採用されています。

かつて「右」を「箸をもつほうの手の側」、「左」を「茶碗をもつ方の手の側」という説明をしたものがありましたが、左利きの人も多いので、ふさわしい説明ではないといわれています。「野球でバッターが走りだす方向」という説明もありましたが、野球を知らない人にはわかりません。また、「アナログ式の時計の3時が書かれている側」という方法をとった辞書もありますが、いかがなものでしょうか。

このように、かんたんな言葉の説明は、じつはとても難しく、辞書をつくる人の知恵が試されるところだといえます。

『大辞林　第三版』の「右」と「左」の説明を見てみよう！

みぎ⓪【右】①空間を二分したときの一方の側。その人が北に向いていれば、東にあたる側。「―を向く」②（人の）体で①の側の手・足など。「―投げ左打ち」③①（縦書きの文章で）前に記したこと。既述したこと。「―の通り相違ありません」⇔左。「―に寄った考え」④革新的な側に対し、保守的な側。右翼。⇔左。「―つひに―負けにけり／源賢木」⑤歌合・相撲など左右に分かれてする競技で、右側の組。二つに分けた時の下位の方。通常左を上位とした。⇔左。⑥同じ職掌の官を左右二つに分けた時に、右側を上位として尊んだことから）上座・上席。また、すぐれている方。上位。「三浦は千葉が―に立たん事を忿て／太平記三」⑦（中国、戦国時代に「左大臣亡せ給ひて―は左に／源竹河」

ひだり⓪【左】①空間を二分したときの一方の側。その人が北に向いていれば、西にあたる側。⇔右。「―に曲がる」②（人の）体で①の側の手・足など。⇔右。「―投げ」③保守的な側に対し、既成の体制の変革をめざす側。左翼。⇔右。「―がかった思想」④【杯】鑿（のみ）は左手で持つので、「鑿手」と「飲み手」とをかけたからともいう）酒好き。左党。⇔右。「―の大臣も／源賢木」⑥歌合わせ・相撲など左右に分かれてする競技で、左側の組。「皆おしゆづりて―勝つになりぬ／源絵合」

『大辞林　第三版』（三省堂）

6 辞書によってこんなに違う説明

あらゆる言葉の説明の仕方が辞書によって違います。このことにおどろく人は、じつは少なくないのです。どれほど違いがあるか、「心」と「水」の例を見てみましょう。

「心」

『岩波国語辞典　第七版新版』には、「心」は、つぎのように書かれています。

①体に対し（しかも体の中に宿るものとしての）知識・感情・意志などの精神的な働きのもとになると見られているもの。また、その働き。（以下略）

西尾実・岩淵悦太郎・水谷静夫編『岩波国語辞典　第七版新版』(岩波書店)

『三省堂国語辞典　第七版』では、つぎのように書かれています。

①人間の中にあって、喜び・いかり・悲しみや、感動、相手への思いやりなどを生み出すおおもとと考えられるもの。精神。（以下略）

前者ではどちらかといえば心の機能的な面をとらえており、後者では心が生みだす感情に注目しています。

見坊豪紀・市川 孝・飛田良文・山崎 誠・飯間浩明・塩田雄大編
『三省堂国語辞典　第七版』(三省堂)

「水」

『岩波国語辞典　第七版新版』には、「水」は、「川を流れ海にたたえ、また雨と降り、動物が飲む、身近の物質で、水素と酸素の化合物。純粋のものは無色・無味・無臭。普通には、熱くない液状のものを指し、湯・水蒸気・氷と区別する。（以下略）」と書かれています。

『岩波国語辞典　第七版新版』(岩波書店)

一方、『三省堂国語辞典　第七版』には、「自然界に多くあり、われわれの生活になくてはならない、すき通ったつめたい液体」とあり、さらに、〔水素二、酸素一の割合の化合物〕と書いてあります。

このことから前者は、科学的な目で水を見て説明していることがわかり、また、後者は、生活とのつながりで言葉としての「水」を説明し、加えて、科学的なことが〔　〕で補助的に説明されていることがわかります。

これはどちらが正しい、あるいはどちらがよいという問題ではありません。辞書を編集する編者の考え方によるものです。

『三省堂国語辞典　第七版』(三省堂)

電子辞書に見る「辞書」

最近、よくつかわれるようになったインターネット上の電子辞書のひとつ『コトバンク』で「辞書」という言葉を調べてみると、下のものが表示されます。

複数の辞書に書いてある意味を読みくらべると、言葉への理解を深めることができるよ。

『デジタル大辞泉』の解説

じ-しょ【辞書】
1 多数の語を集録し、一定の順序に配列して一つの集合体として、個々の語の意味・用法、またはその示す内容について記したもの。語のほかに接辞や連語・諺なども収める。また、語の表記単位である文字、特に漢字を登録したものも含めていう。辞書は辞典（ことばてん）・事典（ことてん）・字典（もじてん）に分類されるが、現実に刊行されている辞書の書名では、これらが明確に使い分けられているとはいえない。辞典。字書。字引。
2 パソコンの日本語入力システムやワープロソフトで、入力した仮名を漢字に変換するために登録されている語・熟語・類語などのファイル。また、自動翻訳システムで、語の対応や文法などを登録しておくファイル。
3 先帝が新帝から贈られる太上天皇の尊号を辞退する意を述べた書状。御奉書。御辞書。
4 辞表。じそ。
「このごろ大弐―奉りたれば」〈栄花・見果てぬ夢〉

『世界大百科事典　第2版』の解説

じしょ【辞書】
単語を、ある基準にそって整理配列して、その表記法、発音、品詞名、語源、意味、用例、用法などをしるした書。ただし実際にはこのすべてを集成していないものがあり、また百科事典のように、単語の意味よりもむしろ事柄の内容を主としたものや、索引のように、たんに用例を示すだけのものをも含めていう場合もある。辞典、字書、字典、字引などともいう。
[種類]
(1) 分類配列の基準によって、(a) 文字（ローマ字、漢字、仮名など）を基にして、それから発音や意味などを知りうるようにしたもの、(b) 発音を基にして、それから文字や意味などを知りうるようにしたもの、(c) 意味によって分類して、それから文字や発音などを知りうるようにしたもの、に大別できる。

『大辞林　第三版』の解説

じしょ【辞書】
①多くの言葉や文字を一定の基準によって配列し、その表記法・発音・語源・意味・用法などを記した書物。国語辞書・漢和辞書・外国語辞書・百科辞書のほか、ある分野の語を集めた特殊辞書、ある専門分野の語を集めた専門辞書などの種類がある。辞典。辞彙。語彙。字書。字引。
②仮名漢字変換方式のワード-プロセッサーにおいて、仮名に対応する漢字を登録しておくファイル。あるいは、自動翻訳システムにおいて、単語間の対応や文法を記録しておくファイル。
③辞職の意を記した文書。辞表。「この頃大弐―奉りたれば／栄花　見はてぬ夢」

『ブリタニカ国際大百科事典　小項目事典』の解説

辞書
じしょ
dictionary
単語（接辞も含めて）を一定の基準に従って配列し、その表記法、発音、文法的機能、意味、用法、語源、成句などを記したもの。配列の基準は普通語形（正書法の綴り、漢字の部首など）であり、意味によるものは特にシソーラスと呼ばれる（『爾雅』『倭名類聚抄』『清文鑑』などはその類）。

7 辞書を読むおもしろさ

辞書は、言葉や漢字を調べるときにつかうものです。本来、一般の本のように通して読むものではありません。でも、読書として楽しむことは、十分にできます。

見たことも聞いたこともない言葉の解説を読んでみたり、反対に、自分の知っている言葉をつぎからつぎに引いて、読んでみたり……。こういった辞書の読書も楽しいよ。

こんな読み方がおもしろい！

『新明解国語辞典』は読んでおもしろい辞書だといわれています。

たとえば魚の名前を引いてみると、「ひらめ」白身で美味、「かんぱち」夏のころがおいしい、「たい」マダイは味がよく、などと書いてあります。おいしいかまずいかは人によって違うはずなのですが、ここでは、はっきりとおいしいといっているのです。しかし、「さば」「さより」「こはだ」「ぶり」「ほっけ」「たら」「まぐろ」などは、食用としか書かれていません。

かにの名前を引くと、「たらばがに」大形で肉は美味、「ずわいがに」石川・福井・鳥取諸県のものが美味で有名、と書いてありますが、なぜか「けがに」は食用にすることも書いてありません。貝は、「あかがい」肉は赤くて美味、「あわび」美味、「はまぐり」おいしい、「ほっきがい」肉・貝柱は美味、と書いてありますが、「しじみ」「あさり」などは、食用としか書かれていません。これは、編集の中心であった山田忠雄先生の好みが反映されているのかもしれません。

また、「読書」という項目は、多くの辞書では「本を読むこと」くらいしか書かれていないのですが、『新明解国語辞典』には読書という行為について山田先生の考えが述べられています。さらに「うそ」という項目は、用例やつかい方をふくめて、33行もつかって解説してあります。

山田忠雄・柴田武・酒井憲二・倉持保男・山田明雄・上野善道・井島正博・笹原宏之編『新明解国語辞典　第七版』（三省堂）

8 言葉の変化と辞書

言葉は時代とともにゆっくりと変化します。新しい言葉が生まれたり、古くなってつかわれなくなったりする言葉もあります。そういう言葉の変化に対して、辞書はどのように対応しているでしょうか。

言葉の変化と辞書の改訂

新しいものが発明されたり、新しい考え方が広まると、それをあらわす言葉が生まれます。また、新しく便利なものがつくられると、つかわれなくなった古いものをあらわす言葉が忘れられていきます。

辞書をつくる人たちは、こうした言葉の変化を常に観察していて、その変化が社会に広まっていると判断されると、辞書をつくりなおします。これを「改訂」といいます。改訂のときには、新しく生まれた言葉が広くつかわれていると、見出し語に追加されます。新しい意味が生まれたり、変わったつかい方が広まったりすると、その変化を説明するようになります。ときには文法に変化が起きることがありますが、文法にははっきりした決まりがあるので、新しく起きた変化を辞書が取りあげるのにはかなり慎重です。

こうした言葉の変化を、割合はやく取りあげる辞書と、変化のようすをじっくり確かめてからでないと取りあげない辞書とがあります。これはそれぞれの辞書の編集方針によって違いが出てきます。

改訂作業をおこなう編集者。ひとつひとつの言葉の意味を確認して、修正すべき部分には赤ペンで、気になった記述や疑問点はえんぴつで書きこむ。（三省堂）

「新語・流行語大賞」と辞書

つぎつぎと新しい言葉（新語）が生まれ、毎年年末になると、その年に広く話題になった新語・流行語が発表されます。新語や流行語は、一時期なにかのきっかけで急激に広がりますが、その多くはやがて忘れられてしまいます。辞書は「新語・流行語大賞」と発表されたものをすぐに取りいれるのではなく、その後も社会に定着して、つかいつづけられると判断されるものだけを新しく増補項目とします。

そのために、新聞・雑誌・小説・広告などでどのようにつかわれているか、観察を続けたうえで増補項目とするのです。

『大辞林』の増補項目リスト。このなかから、改訂版をつくるときにのせるべき言葉を検討する。

『大辞林 第三版』で新しくのった言葉の例

言葉の変化を何年か観察して広く認められるようになると、まとめて新しく項目を追加したり、削除したりします（改訂）。具体的な例を見てみましょう。

『大辞林 第二版』（1995年刊）が改訂されて第三版（2006年刊）になったときには、約5000項目が追加されました。そのなかのいくつかを紹介します。

あ行：悪徳商法、移設、板長、駅ナカ、絵手紙

か行：顔文字、学問に王道なし、貸し剥がし、型落ち、勝ち組、勝手連、カミングアウト、完歩、帰宅難民、給紙、求心力、具材、具沢山、グローバルスタンダード、激安、小顔、懇親会、コンプライアンス

さ行：桜切る馬鹿梅切らぬ馬鹿、差別化、自爆テロ、シミュレーション、少子化、食感、白物家電、成年後見制度、訴求力

た行：地産地消、注力、独立行政法人

な行：肉球

は行：パイの奪い合い、ハンドルネーム、韓流、必達、秒読みに入る、フィッシング、不適切、ブログ、ポリフェノール

ま行：民事再生法、メーリングリスト

や行：薬膳料理

ら行：リピーター

わ行：ワン切り

『大辞林 第三版』で削除された言葉の例

新しい項目の追加を続けると、辞書はしだいにページ数が増えてしまいます。その辞書として適切なページ数を保つために、項目の削除もおこないます。『大辞林』は大きい辞書なので、多少項目が増えても大きな問題にはなりませんが、それでも増えつづけるわけにはいかないので、削除もおこないます。第三版では、現代人がめったに接することのないような古典語（たとえば、「あおねろ（青嶺ろ）」「あかちだ（班田）」「いぬひと（犬人）」「うなかぶす（項傾す）」「しきます（敷き座す）」「はいま（駅馬）」など）や特殊な仏教用語（たとえば、「えけん（慧剣）」「おんぜち（演説）」など）を削除しました。

辞書の改訂には5年から10年以上の期間があります。そのあいだは新しい情報を取りこむことができません。変化のはやい事柄や組織などはすぐに情報が古くなってしまって改訂が追いつきません。これらはインターネットで最新の情報がかんたんに得られるものが多いことから、第三版で削除した項目があります。

ちさんちしょう ①【地産地消】地元でとれた生産物を地元で消費すること。

しょうし①【少子】生んだ子供の数が少ないこと。
か-**わく**⓪【少子化】親世代よりも子世代が少なくなること。合計特殊出生率が人口置換水準を下回る状態が続き、子供の数が減少すること。総人口に占める子供の人口の割合が低下すること。→人口置換水準

かおもじ⓪【顔文字】電子メールなどで、括弧などの記号を組み合わせて絵を作り、筆者の感情を表現するマーク。スマイリー。

『大辞林 第三版』（三省堂）

『大辞林 第三版』で追加された言葉だよ。わからない言葉は辞書を引いて調べてみよう！

のせる辞書・のせない辞書

言葉はゆっくりですが、長いあいだに少しずつ変化します。「見たい番組が見れなかった」「ピーマンは食べれない」とか「朝起きれなくて遅刻した」などのように「見れる」「食べれる」「起きれる」という人がいるでしょう。これは本来「見られる」「食べられる」「起きられる」というべきなのですが、「ら」が抜けているので「ら抜き言葉」といって文法的には誤りとされています。しかし、現在では多くの人がつかうようになり、無視できない状態になっています。こういう場合、辞書はどうするのでしょうか。辞書を編集するときには、基本的な方針を決めます。言葉のルール（規範）をしっかり守る立場の辞書は、ら抜き言葉の見出し語は立てませんが、言葉の実際の姿を反映させる立場の辞書は、「誤って」とか「俗に」などとして見出し語を立てます。

最近「半端じゃ（では）ない」というところを「半端ない」という人が増えてきました。また、「やばい、このケーキすごくおいしい」という人がいます。「やばい」は「これは困った状態だ。危険だ」という意味の盗賊仲間の言葉（隠語）でした。これが最近ではプラスの評価につかわれることがあります。これらのつかい方が広まっているので、取りあげている辞書もあります。

辞書に期待されていること

辞書のはじまりは、異なる民族の話す言葉を理解するためにつくられたものでした。これは二言語辞書です。そのつぎに自分たちの言葉を整理した辞書がつくられました。これは一言語辞書です。

現代の国語辞典は、言葉の書きあらわし方、意味、つかい方など、言葉に関するさまざまな疑問を解決するためにつくられています。辞書の基本は、日本語を正しくつかい、正しく理解するために役立つことを目指しています。

一般に、辞書に書かれていることは正しいはずだと考えられていますので、辞書の編集をおこなっている人たちは正しい情報を提供するように努力しています。

また、辞書はつくられた時代の言葉の記録でもあります。現在つくられている辞書は後世の人に、平成のころの日本語はこうだったのだと伝える資料となるのです。

新しい言葉とともに、古典でつかわれてきた言葉のつかい方を伝えるのも辞書の役割だよ。

辞書編集部には古典文学や100年以上前に刊行された辞書などたくさんの資料が置かれている。（三省堂）

気がついたら50歳をこえていた！〜わたしの辞書づくり人生〜

わたしは、三省堂で国語辞典『大辞林』の編集に長年たずさわってきました。わたしの辞書づくりの体験をお話ししましょう。

①辞書との出会い

中学1年になったとき、父に国語辞典がほしいと申しでると、父が「ふん、そうか」といって出してくれたのは4冊本の『大言海』と、分厚い『新修漢和大字典』だった。携帯版の国語辞典を考えていたわたしは、大人のつかう大きな辞書を出されて面食らったが、うれしくもあったので、さっそく自分の勉強部屋にもちかえって開いてみた。ところがどちらも歴史的仮名づかいで書かれていて、中学生にはなかなかつかいこなせそうもなかった。しかし、自分の辞書だと思うとなんとなく親しみがわき、あれこれひねくっているうちにしだいにつかい方もわかってきて、とうとう大学を卒業するまで辞書はこの2点で通してしまった。

②新米の辞書編集者

大学4年生のとき、三省堂が編集者を募集していたので応募し、首尾よく合格して、卒業と同時に入社した。希望していた辞書の編集部門に配属され、新米の辞書編集者としての勉強がはじまった。1959（昭和34）年23歳のときのことである。これから30年あまり、辞書編集者として辞書づくりにかかわりつづけることになったのだった。

基礎的な研修が終わって最初に担当したのが『明解古語辞典』の全面改訂であった。辞書をつくるときには多くの場合、編者を中心にした編集委員会と、出版社の編集部とが作業を分担する。『明解古語辞典』の編集主任は金田一春彦先生で、数人の先生方と編集委員会がつくられていた。大学で金田一先生の講義をうけたことがあったが、こういう仕事の場でお目にかかるとは思っていなかった。先輩編集者に教えてもらいながら、2年半ほどかけて刊行にたどり着くことができた。幸いこの辞書は好評だった。

父からもらった『大言海』。今でも大切にもっている。

倉島節尚
『大辞林』初版
編集長

三省堂に入社してはじめて担当した『明解古語辞典　新版』。

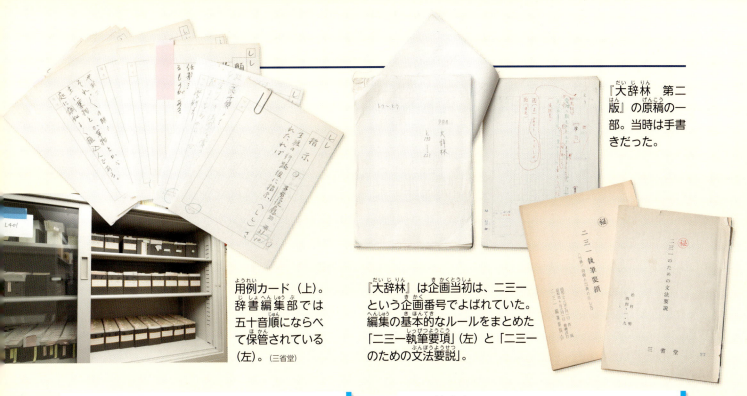

『大辞林 第二版』の原稿の一部。当時は手書きだった。

用例カード（上）。辞書編集部では五十音順にならべて保管されている（左）。（三省堂）

『大辞林』は企画当初は、ニ三一という企画番号でよばれていた。編集の基本的なルールをまとめた「ニ三一執筆要項」（左）と「ニ三一のための文法要説」。

③『大辞林』の担当に

　『明解古語辞典』の改訂のつぎに命じられたのが『大辞林』の編集だった。これは2年ほど前から準備が進んでいた企画で、1962（昭和37）年からわたしが担当して本格的に編集がはじまった。辞書編集にはさまざまな作業があるが、まずどういう目的でどのような辞書をつくるのかという基本的な方針を決め、それに向けてどういう作業をするかということを決める。これは編者を中心とする編集委員会で議論され、編集担当者も参加する。

　その方針にそって最初におこなうのが、項目の選定である。そのための単語カードが20万枚ほどつくられていた。『大辞林』は20万項目をのせることになったので、これでは足りず、追加して30万枚ほどに増やして項目の選定をおこなった。来る日も来る日もカードをめくる日が続いた。この作業が2年以上続いたのであった。

　この例でもわかる通り、辞書をつくるのはじつに地味で単調な作業の連続なのである。項目の選定が終わると、執筆協力の先生方に原稿の執筆をお願いして回ることが日課になった。さまざまな専門分野の項目があるので、最終的には400人を超える方に協力していただいた。

④編集部の仕事

　辞書は原稿が集まればできあがるというものではないのだ。表記の整理や用語の統一など、執筆されてきた原稿を、所定の形に整えるのが編集部の仕事である。疑問があるところはきちんと調べて、わかりやすく正しい情報を提供できるように努める。

　こうしてできあがった原稿は、五十音順にならべなくてはならない。編集部には朝から晩まで「あいうえおかきくけこ…」と整理しつづける配列担当の人もいるし、意味区分の①②③…がちゃんとついているか確かめたり、「→○○○○」となっている行先にその項目があるか確かめたりすることを担当する人もいる。こういう縁の下の力もちのような人たちによって、辞書は組みたてられていくのだ。

　辞書をつくるということは、新しいビルを建築することと共通するところがあると思う。完成したビルでは見えないけれども、電線・電話線・水道管・ガス管・排水管・冷暖房設備などが、壁のなかや、天井・床下などに配置されている。辞書にも、できあがってからは見えない、さまざまな作業がおこなわれているのだ。

27

⑤思いがけないできごとも

編集は順調に進んでいたのだが、思いもかけないできごとが起きた。1973（昭和48）年と1979年に起きたオイルショックである。原油価格が高騰し原油の供給が不安定になり、世界経済が混乱したのである。この影響は日本にも、そして出版界にもおよび、資材の高騰などで三省堂は経営が行きづまってしまったのである。

『大辞林』の刊行はまだまだ先のことだったが、編集費が乏しくなって作業を続けられなくなり、当面売りあげに役立つ仕事を優先せざるを得なくなった。ようやく経営危機を脱して『大辞林』の編集を進めることができるようになったのは8年あまりあとのことであった。

⑥社会の変化

編集期間の長い辞書の場合、編集中に社会に変化が起きることがあり、その変化に対応する仕事が生じる。

いろいろなことがあったが、最も強く記憶に残っているのは、日本国有鉄道（国鉄）の民営化である。『大辞林』には「日本国有鉄道」「国鉄」という項目があり、鉄道の路線名ものっている。また解説のなかに出てくることもある。これを全部探しだして修正しなければならなかった。

現在ではコンピューター組版なので、キーワードで検索できるのだが、『大辞林』を編集していたころはまだ活版組版（金属の活字を1本1本組みあわせる組版の方法）だったので、2千数百ページの校正刷りを読んで該当する項目を探すしかなかった。編集部員のほかにも応援を頼んで、ひたすら読んで、読んで、読みまくって探したのであった。

このほかにも青函トンネルができて連絡船が廃止されたり、法律が変わったりもした。これらに対応するのも編集部の仕事なのである。

『大辞林』初版の最初のページの活版組版（左）と印刷された紙面。
（写真提供：三省堂）

⑦刊行に向けて

　完成までの3年ほどは校正に追われていた。来る日も来る日も校正刷りに向かって、誤植がないように、説明に誤りがないようにと確かめる作業が続いた。このときには編集部は50人近い大所帯になっていた。『大辞林』中心の毎日だった。

　校正をしながら、予定するページ数に収まるように分量の調整もしなければならない。刊行予定日が近づいてくると、1日単位で作業の進行状態を管理しなければならなかった。

『大辞林』初版の印刷所での試し刷り。1ページずつ確認がおこなわれた。
（写真提供：三省堂）

⑧最後の活版印刷の辞書

　ページ数の多い辞書は、校了になったところから印刷がはじまる。このときは編集者も印刷工場に行って、印刷開始に立ちあうのだ。

　大きな輪転機がゆっくりと動きだし、やがて轟音を立てて印刷がはじまる。長年編集にたずさわってきた者にとっては緊張と感動の一瞬である。辞書づくりに取りくむ有能なスタッフに支えられて、この瞬間を迎えられたことに深く感謝した。

　『大辞林』は1988（昭和63）年11月3日に出版された。この辞書は活版印刷でつくられた最後の中型国語辞典であり、昭和の最後に刊行された国語辞典なのである。

　このとき、わたしは53歳になっていた。

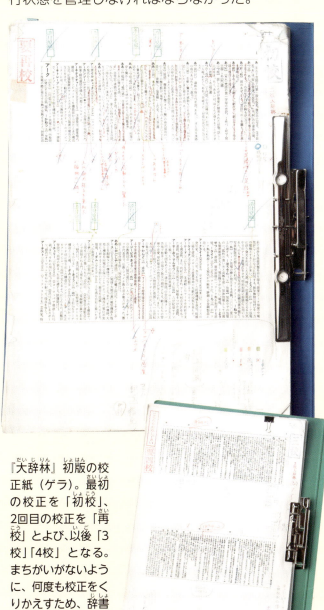

『大辞林』初版の校正紙（ゲラ）。最初の校正を「初校」、2回目の校正を「再校」とよび、以後「3校」「4校」となる。まちがいがないように、何度も校正をくりかえすため、辞書の校正は「5校」「6校」にまでおよぶ。

『大辞林』初版の刊行後には、多くの新聞や雑誌などの取材をうけた。
「大辞林評判記　その1新聞・雑誌記事編」（三省堂）より

29

用語解説

本文中で青字にした言葉を五十音順に解説しています。
数字はその言葉が出てくるページをしめしています。

▶池田弥三郎 …………………… 15
国文学者。東京生まれ。慶応義塾大学卒業。慶応義塾大学教授、NHK解説委員、国語審議会委員などをつとめた。

▶隠語 ……………………… 18, 25
特定の社会・集団内でだけ通用する特殊な語。

▶大野晋 …………………… 14
言語学者・国語学者。東京生まれ。東京帝国大学卒業。古代日本語の音韻、語彙、文法の研究を専門とした。

▶金田一京助 ……………… 12, 14
言語学者・国語学者。岩手県生まれ。東京帝国大学卒業。アイヌ民族の言語、文学、民俗をはじめて体系的に研究した。金田一春彦の父。

▶金田一春彦 …………12, 14, 15, 26
言語学者・国語学者。東京生まれ。東京帝国大学卒業。音韻史を専門とし、日本語アクセントや方言に関する研究ですぐれた業績を残した。金田一京助の長男。

▶見坊豪紀 ……………………… 12
国語学者。東京生まれ。東京帝国大学大学院在学中に、金田一京助の紹介で『明解国語辞典』の編纂にたずさわる。新聞や雑誌から現代日本語の実例を採集しつづけ、生涯で145万枚におよぶ用例カードを作成した。

▶古語 …………… 11, 12, 13, 14, 15
古い時代につかわれて、今はほとんどつかわれなくなった言葉。

▶佐竹昭広 …………………… 14
国文学者。東京生まれ。京都大学卒業。古代・中世文学、特に『万葉集』の研究ですぐれた業績を残した。

▶自動詞 …………………… 11
その動作が直接に影響をおよぼす対象をもたない動詞。例、「走る、行く」など。

▶俗語 ……………………… 11, 18
あらたまった場面や文章ではつかわない、くだけた言葉。

▶他動詞 …………………… 11
その動作が直接に影響をおよぼす対象をもつ動詞。例、「食べる、書く」など。

▶反対語 …………………… 11
たがいに反対の意味になる言葉。例、「のぼる」と「くだる」など。

▶品詞 …………………… 11
ひとつひとつの言葉を、その性質やはたらき方の違いによってわけたもの。名詞・動詞・形容詞など。

▶方言 ……………………… 11, 14
ある地域だけでつかわれている言葉。意味や発音などが、共通語と違う言葉。

▶前田金五郎 ·························· 14
国文学者。静岡県生まれ。東京文理科大学卒業。近世文学、特に井原西鶴を専門とした。

▶松村明 ····························· 15
国語学者。東京生まれ。東京帝国大学卒業。『大辞林』(三省堂)の編者として、初版を1988年に刊行。1995年には『大辞泉』(小学館)を監修した。

▶諸橋轍次 ·························· 13
漢学者。新潟県生まれ。東京高等師範学校卒業。昭和のはじめから『大漢和辞典』の編集にあたり、全13巻を完成させた。

▶山田忠雄 ······················ 12, 22
国語学者。東京生まれ。東京帝国大学卒業。国語辞典の歴史を研究。1972年刊行の『新明解国語辞典』の編集主幹をつとめた。

▶類義語 ························ 11, 15
意味の似ている言葉。例、「演劇」と「芝居」。「かおる」と「におう」など。

わたしが『大辞林』をつくっていたころの三省堂の辞書編集部の写真だよ。

(写真提供:三省堂)

さくいん

あ行

アクセント ･･････････････11, 12, 14, 15
『岩波国語辞典　第七版新版』････････ 16, 20
『岩波古語辞典』････････････････････ 14
インターネット ･･････････････････ 21, 24
『旺文社国語辞典　第十一版』･･････････ 16
『旺文社小学国語新辞典　第四版』･･････ 16
大槻文彦 ･･････････････････････････ 8

か行

改訂 ････････････････････23, 24, 26, 27
『学研国語大辞典』････････････････････ 15
『角川国語辞典　新版』････････････････ 16
『角川最新国語辞典』･･････････････････ 16
漢和辞典（漢字辞典・漢語辞典）
　････････････････････････ 6, 11, 13
金田一春彦記念図書館････････････････ 14
『言海』････････････････････････････ 8, 9
『康熙字典』････････････････････････ 13
『広辞苑　第六版』････････････････････ 16
国語辞典
　････････ 6, 8, 9, 11, 12, 14, 15, 19, 25, 26

さ行

『三省堂国語辞典　第七版』････････ 16, 20
『三省堂例解小学国語辞典　第六版』
　････････････････････････････ 10, 16
『時代別国語大辞典』･･････････････････ 13
『新選国語辞典　第九版』････････････ 16
『新明解国語辞典』
『新明解国語辞典　第七版』･･････････ 16, 22
『世界大百科事典』
『世界大百科事典　第2版』･･･････････ 7, 21
増補項目 ･･･････････････････････････ 23

た行

『大漢和辞典』････････････････････････ 13
『大言海』･･････････････････････････ 9, 26
『大辞泉』････････････････････････ 7, 15, 16
『大辞典』････････････････････････････ 12
『大辞林』初版
『大辞林　第二版』
『大辞林　第三版』････ 8, 10, 15, 16, 18, 19,
　　21, 23, 24, 26, 27, 28, 29
『チャレンジ小学国語辞典　第六版』･････ 16
『デジタル大辞泉』････････････････････ 21
電子辞書････････････････････････ 11, 21

な行

『日本国語大辞典』
『日本国語大辞典　第二版』････････････ 14, 16

は行

百科事典･･･････････････ 7, 9, 11, 12, 21
部首･･････････････････････････････7, 21
『ブリタニカ国際大百科事典　小項目事典』
　･･･････････････････････････････ 21

ま行

『明解国語辞典』････････････････････ 12
『明解古語辞典』･･････････････････ 14, 26, 27
『明鏡国語辞典　第二版』････････････ 16

ら行

ら抜き言葉････････････････････････ 25
『例解新国語辞典　第九版』････････････ 16

■ 著／倉島　節尚（くらしま　ときひさ）

1935年、長野県生まれ。1959年東京大学文学部国語国文学科を卒業、三省堂に入社。以後30年間国語辞典の編集に携わる。『大辞林』(初版)の編集長。三省堂で常務取締役・出版局長を務め、1990年から大正大学文学部教授、2008年名誉教授。辞書に関する著書に『辞林探求』(おうふう)、『辞書は生きている』(ほるぷ出版)、『辞書と日本語』(光文社)、『日本語辞書学への序章』『宝菩提院本 類聚名義抄』『宝菩提院本 類聚名義抄和訓索引』(大正大学出版会)、共編に『日本辞書辞典』『日本語辞書学の構築』(おうふう) などがある。

■ 編／こどもくらぶ

あそび・教育・福祉分野で、毎年100タイトルほどの児童書を企画・編集している。

■編集・デザイン
こどもくらぶ（長野絵莉、信太知美）

■制作
（株）エヌ・アンド・エス企画

■写真協力（敬称略）
〈P10〉kou/PIXTA
　　　　Graphs/PIXTA
〈P11〉シャープ株式会社

■取材協力
株式会社三省堂（撮影：福島章公）

この本の情報は、2016年1月現在のものです。

辞書・事典のすべてがわかる本 ③ 知れば知るほどおもしろい辞書・事典　　　　NDC813

2016年2月25日　　初版発行

著　　者　　倉島節尚
発 行 者　　山浦真一
発 行 所　　株式会社あすなろ書房　　〒162-0041　東京都新宿区早稲田鶴巻町 551-4
　　　　　　電話　03-3203-3350（代表）
印 刷 所　　凸版印刷株式会社
製 本 所　　凸版印刷株式会社

©2016　KURASHIMA Tokihisa　　　　　　　　　　　　　32p ／ 31cm
Printed in Japan　　　　　　　　　　　　　　　　ISBN978-4-7515-2853-2